图书馆精选文丛

庄子浅说

陈鼓应 著

Copyright © 2021 by SDX Joint Publishing Company.
All Rights Reserved.
本作品版权由生活·读书·新知三联书店所有。
未经许可,不得翻印。

图书在版编目(CIP)数据

庄子浅说/陈鼓应著. —北京:生活·读书·新知三联书店,2021.1
(图书馆精选文丛)
ISBN 978-7-108-06994-8

Ⅰ.①庄… Ⅱ.①陈… Ⅲ.①庄周(约前369-前286)-哲学思想-研究 Ⅳ.① B223.55

中国版本图书馆 CIP 数据核字(2020)第 219542 号

责任编辑	郑 勇 吴思博	
装帧设计	刘 洋	
责任印制	肖洁茹	
出版发行	生活·讀書·新知 三联书店	
	(北京市东城区美术馆东街 22 号 100010)	
网 址	www.sdxjpc.com	
经 销	新华书店	
印 刷	北京市松源印刷有限公司	
版 次	2021 年 1 月北京第 1 版	
	2021 年 1 月北京第 1 次印刷	
开 本	880 毫米 × 1230 毫米 1/32 印张 3.75	
字 数	58 千字	
印 数	0,001-6,000 册	
定 价	19.00 元	

(印装查询:01064002715;邮购查询:01084010542)

写在前面

陈鼓应，1935年生，福建省长汀人。台湾大学哲学系及哲学研究所毕业。历任台湾大学哲学系副教授、美国加州大学伯克利分校研究员、北京大学哲学系客座教授、台湾大学哲学系教授。主编《道家文化研究》学刊。著有《悲剧哲学家·尼采》、《尼采新论》、《存在主义》、《庄子哲学》、《老子注译及评介》、《庄子今注今译》、《黄帝四经今注今译》、《老庄新论》、《易传与道家思想》、《道家易学建构》、《管子四篇诠释》及《耶稣新画像》等。退休后亦在台大哲学系及文化大学兼课。

在本书自序性质的《作者的话》中，作者自陈："我曾经说过世界上有两本书是我最喜爱的：一本是中国的《庄子》，另一本是德国尼采的《查拉图斯特拉如是说》。这两者在思想解放与个性张扬方面，有许多共同点。而尼采的激情投入与庄子的清明超脱，正有如希腊悲剧中狄奥尼索斯（酒神）与阿波罗（太阳神）两种精神力量的相互对立而又相互协调一样，亦反映着历代知识分子内心的种种冲突与求取平衡。"作为台湾自由主义先驱殷海光的学生，作者在本书中，特别推崇老子的自然无为的自由观，并把它和现代知识分子的追求勾连起来。

这本不到六万字的小书，结构上分为四部分：生活篇、生死篇、思想篇、终结篇。"生活篇"借助《庄子》一书中的"夫子自述"和庄子学生的散记，尝试解开可靠传记材料无多的庄子的身世之谜，勾勒出庄子的家世、家室与交游、行谊。"生死篇"借"蝴蝶梦"探讨庄子的物我两忘、人生如梦的死生和谐观。"终结篇"比较研讨了庄子哲学与西方哲学的异趣别志。而"思想篇"无疑是本书最为着力浓墨重彩的部分。

"思想篇"分十一节分别讨论庄子思想的各种面向："庖丁解牛"寓言中的涉世之道，《人间世》寓言的"无用之用"，"姑射之山"神人和形体丑却心灵美的畸人一起构成了庄子的"理想人物"。"大仁不仁"、"至仁无亲"说及其背后蕴涵的对假仁假义的抨击。"自然无为"、"自然之美"、"不辩之辩"、"不道之道"也都在专论之列。

陈鼓应是研究庄子的著名学者，本书是他研读《庄子》的心得。一向被视为深奥幽玄的《庄子》以及迷离传奇的庄子，在作者笔下有如拨云去雾，气朗风清，不愧为大家写小文章，有助于引导普通读者进入庄子的世界，了解《庄子》的风貌。

作者是严谨的学者，写作本书也有着胡适所说的"有几分证据，说几分话。有一分证据，只可说一分话"的态度。不过，作者并没有因此绳规墨矩，画牢自限，比如，他每立一义，都会援引《庄子》文献以为奥援，但《庄子》的佶屈聱牙，又对现代普通读者构成一种阅读阻力，所以作者的引文，多是他翻译的白话文，形同嚼饭哺人，这显然与他"浅说"的定位一致，也是为了普及的折中选择。同时，作者又有西学的底子，对尼采和存在主义哲学素有深究，所以在讨论庄子的哲学思想时，心中和笔下都有中西比较的观照意识，融会贯通，自成一家之说。

这本小书最早以《庄子哲学》为名，由台湾商务印书馆于1966年出版。我店于1998年收入"三联精选"文库,初次在大陆刊行,这也是目前唯一的简体版本。此次新版,即以之为底本,订正少量错讹后,重加排印刊行。

生活·讀書·新知三联书店编辑部
2012 年 7 月

目录

作者的话 1
前言　庄子的影像 1

生活篇
一、贫穷的生活 3
二、异鹊的故事 7
三、终生不仕 9
四、契友惠施 12
五、鼓盆而歌 17

生死篇
一、蝴蝶梦 23
二、生死如来去 28

思想篇

一、鲲鹏和小麻雀 35

二、涉世之道 40

三、无用之用 46

四、掊击仁义 53

五、理想人物 57

六、肯定真知 63

七、自然无为 69

八、自然之美 74

九、不辩之辩 78

十、不道之道 82

十一、对待与同一 91

终结篇

庄子思想的评价 99

作者的话

在我的第一本书《悲剧哲学家·尼采》前言里，我曾经说过世界上有两本书是我最喜爱的：一本是中国的《庄子》，另一本是德国尼采的《查拉图斯特拉如是说》。这两者在思想解放与个性张扬方面，有许多共同点。而尼采的激情投入与庄子的清明超脱，正有如希腊悲剧中狄奥尼索斯（酒神）与阿波罗（太阳神）两种精神力量的相互对立而又相互协调一样，亦反映着历代知识分子内心的种种冲突与求取平衡。看来，一个人生活的体验愈多，愈能欣赏庄子思想视野的宽广、精神空间的开阔及其对人生的审美意境；一个人社会阅历愈深，愈能领会庄子的"逍遥游"实乃"寄沉痛于悠闲"，而其思想生命的底层，则未始不潜藏着深厚的愤激之情。

我对庄子的兴趣，最初是由好友包奕明引起的。

在大学期间，以学习西方哲学为主，老庄哲学虽列为必修课程，但除了听到一些本体论、宇宙论的概念术语之外，并无所获，对于老庄思想的精髓，更不甚了了。我读研究所时，在研究尼采著作之余，也喜读存在主义的作品，奕明兄多次对我说："庄子'善吾生者，乃所以善吾死也'，很有存在主义的意味。"他的一番话引起我的好奇，由好奇而嚼读《庄子》。

这本小书是研读《庄子》后有所感发而写的，原名《庄子哲学》，1966 年由台湾商务印书馆出版。现在，这本小册子能和大陆读者见面，首先要感谢三联书店的朋友们。

1997 年 11 月

前言　庄子的影像

在一个混乱的社会里,庄子为人们设计了自处之道。在他所建构的价值世界中,没有任何的牵累,可以悠然自处,怡然自适。

从历史中我们可以看到,太平盛世时,儒学思想往往抬头,因为儒家确实提供了一套适于当时人际关系的伦理基础。于是,统治者们也乐于将整个社会结构纳入伦理关系中,以维系社会秩序,使其井然。然而,历代毕竟乱多于治,每当政情动荡,社会大乱时,儒学思想便失去效用,而道家思想则应时而兴。因为道家并不抱持着冠冕堂皇的道德原则,而能深入人性,切中时弊,彻察动乱的根由;它正视人类不幸的际遇,又能体味人心不安的感受,对于饱经创伤的心灵,尤能给予莫大的慰藉。因而,中国历代的变动纷扰,对于儒家而言是一种沉重的负担，结果每每由道家承担起来。而道家集大成的人物，便是庄子。

今天，我们置身于史无前例的繁复而混乱的社会形态中。庄子思想对于我们，或许更有一种特殊的感受与意义！

请想想我们今日所生活的世界：现代高度机械化的结果，早已使得优游的生活成为过去。每个人只是急躁而盲目地旋转于"高速"的旋涡中，像是被恶魔赶着，匆匆忙忙地随波逐流。都市文明的生活，使人已不再和泥土或自然有任何接触，田园生活那种优美而富情调的方式亦已被毁坏。集体主义的猖獗，使人民奋励的情绪被官僚化的教条压抑净尽，生动的精神被僵化的形式扼杀殆尽……这种种感受，使你接触庄子时，更能增加你对他的体味。

只要开始接触庄子，你便会不自主地神往于他所开辟的思想园地。在那里，没有"撄人之心"的成规，没有疲惫的奔波，也没有可怖的空虚，更没有压迫的痛苦。

凡是纠缠于现代人心中那些引起不安情绪的因素，全都在庄子的价值系统中烟消云散。他扬弃世俗的拖累，强调生活的朴质，蔑视人身的偶像，夸示个性的张扬，否定神鬼的权威……总之，接近他时便会感到释然，在他所开创的世界中，心情永远是那么无挂无虑，自由自在。

生活篇

一、贫穷的生活

提起庄子,多少给人一种神奇的感觉。他的家世渊源不可知,师承源流不清楚,生死年月也史无明文。在当时,没有人为他作传,也没有自述之文,因而他的身世始终是个谜。

幸好,在《庄子》书内,他的学生偶尔散漫地记载着他的一些行谊事迹,凭着这一鳞半爪的资料,也可在后人心中留下一个特殊的影像。

庄子生活贫穷,在《庄子》书中也有记述,例如一篇关于他向人告债的故事:

> 庄周家里贫穷,所以去向监河侯借米。监河侯说:"好的,等我收到地方上人民的租税时,我会借三百金给你,行吗?"
>
> 庄子听了,心里很不高兴,说:"我昨天来

的时候，中途听得有呼唤我的声音。我回头一看，原来在车轮碾过成洼的地方，有一条鲫鱼。我便问它说：'喂，鲫鱼！你在这里干啥呢？'鲫鱼回答说：'我是东海的水族。你有少许的水救活我吗？'我说：'好的，等我到南方游说吴越的国王，激引西江的水来迎接你。可以吗？'鲫鱼听了，心里很不高兴，沉着脸说：'我因为离了水，失去了安身之处。我只要少许的水就可以得救。你说这话，不如早一点到干鱼市上去找我吧！'"（《外物》，下引只注篇名，不注书名）

这故事虽是以寓言的方式表述，但他的家贫，确是实情，另外一段记载也可看出他那穷困的样子：

庄子身上穿了一件打了补丁的粗布衣服，脚下踏着一双用麻绳绑着的破布鞋去见魏王。魏王说："先生，你怎么这样疲困啊？"

庄子回答说："这是贫穷，并不是疲困。……"（《山木》）

事实上庄子是既贫穷又疲困，在那"昏君乱相"

的时代,只有小人才能得志。让我们再看一个例子:

> 宋国有个叫曹商的人,宋王派他出使秦国。他去的时候,只得到宋王给他的几辆车子,到了秦国,秦王很高兴,赏给他百辆车子。他回宋国,见了庄子便说:
>
> "住在破巷子里,穷得织草鞋,饿得颈子枯槁,面孔黄瘦,在这方面,我可赶不上你;至于一旦见了大国的国君,就得到上百辆的车子,这就是我的长处了。"
>
> 庄子回说:"我听说秦王得了痔疮,找医生给他治。谁能把痔疮弄破,就可得到一辆车子,谁能舐他的痔疮,就可得到五辆车子。治病治得越下流,所得的车子就越多。你是不是给秦王治过痔疮?怎么搞到这么多的车子呢?还是走你的吧!"(《列御寇》)

庄子后学所记的这些事例,如果是真的话,在对话中倒透露了一些庄子的生活实况:他"住在破巷子里",饿得面黄肌瘦,这和"在陋巷""箪食瓢饮"的颜回,岂不成了难兄难弟吗?营养不足的颜回,可怜不到三十岁就夭折了;庄子倒真命长,一口气活到七八十岁,从文章的气势上看来,还好像精神抖擞的样子!

如果庄子真是只靠着"织草鞋"来维持生计,那和荷兰大哲斯宾诺莎(Spinoza)的磨镜过活,实有其共同的意义,他们都把物质生活的需求降到最低的程度,而致力于提升精神生活。

二、异鹊的故事

在生活态度上,庄子是顺其自然的。他认为如果一心一意去算计人家,必然会导致物物相残的后果。庄子这种想法,见于一个有趣的寓言上:

庄周到雕陵的栗园里游玩,走近篱笆,忽然看见一只怪异的鹊从南方飞来,翅膀有七尺宽,眼睛直径有一寸长,碰着庄周的额角飞过去,停在栗树林中。庄子说:"这是什么鸟呀!翅膀大而不能远飞,眼睛大而目光迟钝。"于是提起衣裳,快步走过去,拿着弹弓窥伺它的动静。这时,忽见一只蝉儿,正得着美叶荫蔽,而忘了自身;就在这刹那,有只螳螂借着树叶掩蔽着,伸出臂来一举而捕住蝉儿,螳螂意在捕蝉,见有所得而显露自己的形迹;恰巧这只怪鹊乘它捕蝉的时候,攫食螳螂,怪鹊见利而不觉自己性命的危险。庄周见了不觉心惊,警惕着说:"唉!物与物互相累害,这是由于两类之间互相招引贪图所致!"想到这里赶紧扔下弹弓,回头就跑。恰在此时,看守果园的人以为他偷栗子,便追逐着痛骂他。(《山木》)

所谓"螳螂捕蝉,黄雀在后",这个有名的典故就是从这寓言出来的。由这寓言引申出一个结论:成心谋算他物,就会招引别物来谋害自己。

因而,唯有泯除心计,乃能免于卷入物物竞逐的循环斗争中。

然而世人却往往一味追求欲念而迷忘本性,这就是庄子所谓:"观于浊水而迷于清渊。"唯欲念是无穷的,而满足总是有限,这样必然会导致悲惨的后果。但这观点,现代人是无法接受的,因为现代人往往沉湎物欲,一去而不知返。

三、终生不仕

有人说:"哲学家的生活是一种艺术性的游戏,不是尘世的情欲生活。"(Josiah Royce:《近代哲学的精神》)诚然,庄子的生活确是充满了艺术性的游戏意味。他不沉湎于尘世的情欲生活,又无觉于外在世界的纷扰,无视于大千世界的诱惑。据记载,他也曾有过显达的好机会,但却断然拒绝了。

庄子在濮水边钓鱼,楚威王派了两位大夫先去表达他的心意:"我希望将国内的政事委托先生!"

庄子持着鱼竿头也不回,遂说:"我听说楚国有只神龟,已经死了三千年了,国王把它盛在竹盒里,用布巾包着,藏在庙堂之上。请问:这只龟,宁可死了留下一把骨头受人尊贵呢?还是愿意活着拖着尾巴在泥巴里爬?"

两位大夫回答说:"宁愿活着拖着尾巴在泥巴里爬。"

庄子说:"那么,请便吧!我还是希望拖着尾巴在泥巴里爬。"(《秋水》)

在另一篇内也记着类似的事情:

有人延聘庄子。庄子回答使者说:"你没看见那祭祀宗庙的肥牛吗?披上绣花的单子,吃着丰盛的食物,等到一朝牵入大庙里去,虽然想做一只孤单的小牛,能办得到吗?"(《列御寇》)

司马迁的《史记》亦有记载上述故事:

楚威王听说庄子很有才干,派了两位使者,带着贵重的礼物,聘请他做楚国的宰相。庄子哂笑地对楚国使者说:"千两黄金确是很重的聘礼,宰相也确是尊贵的职位。可是你们没有看见过祭祀天地时供神用的肥牛吗?养了好几年,养肥之后宰了,给它披上文彩的锦绣,抬到大庙里去,在这时候,即使它想做一头孤单的小猪仔,办得到吗?你们赶快走开,不要玷污了我!我宁愿在泥巴里游戏,终身不做官,只图个逍遥自在。"(《史记·老庄申韩列传》)

庄子坚定地抛开了沽名钓誉的机会,这类逸事,经过正史的记录,更增加了不少的光彩。他对于高官轩冕确实有一种洁癖,倒不是故意做作的。

四、契友惠施

庄子这般旷达的心境，视富贵荣华有如敝屣。其高超之生活情趣，自然超离人群与社群。无怪乎在他眼中，"以天下为沉浊，不可与庄语"。(《天下》)既然这样，就只好"独与天地精神往来"了。像庄子这样绝顶聪明的人，要想找到一两个知己，确是不容易。平常能够谈得来的朋友，除了惠子之外，恐怕不会再有其他的人了。他们都好辩论，辩才犀利无比；他们亦很博学，对于探讨知识有浓厚的热诚。

惠子喜欢倚在树底下高谈阔论，疲倦的时候，就据琴而卧（"倚树而吟，据槁梧而瞑"），这种态度庄子是看不惯的，但他也常被惠子拉去梧桐树下谈谈学问（"惠子之据梧也……"），或往田野上散步。一个历史上最有名的辩论，便是在他们散步时引起的：

庄子和惠子在濠水的桥上游玩。

庄子说:"小白鱼悠闲地游出来,这是鱼的快乐啊!"

惠子问:"你不是鱼,怎么知道鱼是快乐的?"

庄子回说:"你不是我,怎么知道我不晓得鱼的快乐。"

惠子辩说:"我不是你,固然不知道你;准此而推,你既然不是鱼,那么,你不知道鱼的快乐,是很明显的了。"

庄子回说:"请把话题从头说起吧!你说:'你怎么知道鱼是快乐的'云云,就是你知道了我的意思而问我,那么我在濠水的桥上也就能知道鱼的快乐了。"（《秋水》）

庄子对于外界的认识,常带着观赏的态度。他往往将主观的情意发挥到外物上,而产生移情同感的作用。惠子则不同,他只站在分析的立场,来分析事理意义下的实在性。因此,他会很自然地怀疑到庄子的所谓"真"。

庄子与惠子的辩论,如果从"认知活动"方面来看，两人的论说从未碰头；如果从观赏一件事物的美、悦、情这方面来看，则两人所说的也不相干。而只在不同的立场与境界上，一个有所断言（"知道鱼是快乐的"），一个有所怀疑（"你既然不是鱼，那么你不知道鱼的快乐，是很显然的！"），他们在认知的态度上，便有显著的不同；庄子偏于美学上的观赏，惠子着重知识论的判断。这不同的认知态度，是由于他们性格上的相异；庄子具有艺术家的风貌，惠子则带有逻辑家的个性。

庄子与惠子，由于性格的差异导致了不同的基本立场，进而导致两种对立的思路——一个超然物外，但又返回事物本身来观赏其美；一个走向独我论，即每个人无论如何不会知道第三者的心灵状态。

庄子与惠子由于基本观点的差异，在讨论问题时，便经常互相抬杠，而挨棒子的，好像总是惠子。在《逍遥游》上，庄子笑惠子"拙于用大"；在《齐物论》上，批评他说："并不是别人非明白不可的，而要强加于人，所以惠子就终身偏蔽于'坚白论'"（"非所以明而明之，故以坚白之昧终"）；《德充符》上也说惠子："你劳费精力……自鸣得意于坚白之论。"这些批评，庄子都是站在自己的哲学观点上，而他最大的用意,则在于借惠子来抒发己意。

另外《秋水》篇记载:惠子在梁国做宰相时,庄子去看他,谣言说庄子是来代替惠子的相位。惠子心里着慌,便派人在国内搜索了庄子三天三夜。后来庄子去见惠子,对他讲了一个寓言,把他的相位比喻猫头鹰得着臭老鼠而自以为美。这故事恐怕是他的学生假托的,不过庄子与惠子,在现实生活上确实有很大的距离;惠子处于统治阶层,免不了会染上官僚的气息,这对于"不为轩冕肆志,不为穷约趋俗"的庄子,当然是很鄙视的。据说惠子路过孟诸,身后从车百乘,声势煊赫,庄子见了,连自己所钓到的鱼也嫌多而抛回水里去。(《淮南·齐俗训》)

他们两人,在现实生活上固然有距离,在学术观念上也相对立,但在情谊上,惠子确是庄子生平唯一的契友。这从惠子死后,庄子的一节纪念词上可以看出:

> 庄子送葬,经过惠子的坟墓,回头对跟随他的人说:"楚国郢人捏白垩土,鼻尖上溅到一滴如蝇翼般大的污泥,他请石匠替他削掉。石匠挥动斧头,呼呼作响,随手劈下去,把那小滴的泥

点完全削除,而鼻子没有受到丝毫损伤,郢人站着面不改色。宋元君听说这件事,把石匠找来说:'替我试试看。'石匠说:'我以前能削,但是我的对手早已经死了!'自从先生去世,我没有对手了,我没有谈论的对象了!"(《徐无鬼》)

惠子死后,庄子再也找不到可以对谈的人了。在这短短的寓言中,流露出纯厚真挚之情。能设出这个妙趣的寓言,来譬喻他和死者的友谊,如此神来之笔,非庄子莫能为之。

五、鼓盆而歌

独来独往的庄子，仍然逃不掉家室之累。不过话又说回来，家室他是有的，但是否成为他的"累"，则不得而知。关于他家室的情形，我们无从知晓。书本上只记载了他妻子死的时候，惠子去吊丧，看到庄子正蹲着"鼓盆而歌"，惠子便责难他说："相住一起这么久了，她为你生儿育女，现在老而身死，不哭也罢了，还要敲着盆子唱歌。这岂不太过分了吗？"庄子却有他的道理：

  当她刚死的时候，我怎能没有感慨呢！可是我经过仔细省察以后，便明白她本来是没有生命的；不仅没有生命，而且还没有形体；不仅没有形体，而且还没有气息。在若有若无之间，变而成气，气变而成形，形变而成生命，现在又变而为死。这样生来死往的变化,就好像春夏秋冬四季的运行一样,全是顺着自然之理。人家静静地安息于天地之间,而我还在哭哭啼啼,我以为这样对于性命的道理是太不通达了,所以不去哭她。(《至乐》)

庄子认为人的生命是由于气之聚;人的死亡是由于气之散,他这番道理,姑且不论其真实程度。就以他对生死的态度来说,便远在常人之上。他摆脱了鬼神对于人类生死命运的摆布,只把生死视为一种自然的现象;认为生死的过程不过是像四时的运行一样。

庄子不相信死后的世界,也反对厚葬。有一段记载:

庄子快要死的时候,学生想厚葬他,庄子却说:

"我以天地为棺椁,以日月为连璧,以星辰为珠玑,以万物为赍送。我的葬礼还不够吗?何必要那些!"

学生说:"我怕乌鸦吃你呀!"

庄子说:"露天让乌鸦吃,土埋让蚂蚁咬,

要从乌鸦嘴里抢来送给蚂蚁，岂非太不公平了吗？"（《列御寇》）

对于死生的态度，庄子能这般旷达洒脱，乃是出于自然的流露。在他想来，死生不过是一场梦罢了！

生死篇

一、蝴蝶梦

《齐物论》的结尾,有一个流传久远的故事,便是庄周的蝴蝶梦:

> 昔者庄周梦为蝴蝶,栩栩然蝴蝶也,自喻适志与!不知周也。俄然觉,则蘧蘧然周也。不知周之梦为蝴蝶与,蝴蝶之梦为周与?周与蝴蝶,则必有分矣。此之谓物化。

庄子借蝴蝶的梦觉,以引发其思想。从这短短的寓言中,可导出四个重要的意涵:
一、庄周蝶化的含义;
二、蝴蝶本身所代表的意义;
三、人生如梦的说法;
四、物化的观念。

一、庄周的蝶化，乃象征着人与外物的契合交感。

人与外界是否能融和交感？其间是否有必然的关系存在着？这是哲学上的一个老问题。如以认知的态度来研究，这在认识论上，西洋历代有不少哲学家都持着相反的见解。然而，这一见解如果掉到不可知论的范畴时，人与外界的割离便无法克服。

这问题到了庄子手上，便转了方向，他不从认知的立场去追问，却以美感的态度去观赏。在观赏时，发出深远的同情，将自我的情意投射进去，以与外物相互会通交感，而入于凝神的境界之中，物我的界限便会消解而融和，然后浑然成一体。这全是以美学的感受来体会，绝不能以科学的分析来理解。

庄子透过"美感的经验"，借蝶化的寓言来破除自我执迷，泯除物我的割离，使人与外在自然世界，融为一大和谐的存在体。

二、庄子将自我、个人变形而为蝴蝶，以喻人性的天真烂漫，无拘无束。

反观现代人，饱受重重的约束。这种情形，在现代文学家卡夫卡（F. Kafka）的寓言《变形记》中表露无遗。寓言说：有一天，格里戈从梦中醒来，突然发现自己变为一只大甲虫，躺在床上。格里戈是个旅行推销员，他每天要在清晨四时起床，赶搭五时的火车，到公司去听命往各处推销棉布。上司的面孔和呆板的工作使他非常厌恶这份差事，但是为了替父亲偿还债务，不得不忍受下去。这天，格里戈在噩梦中醒来，发现自己已不是原来的人形，竟变成一只硕大的甲虫。他想爬出卧室去赶早班车，但却感到自己行动吃力、言辞含糊……

这寓言之所以受人重视，因为它隐含的意义很多：卡夫卡以格里戈的遭遇，代表了现代人所承受的时间压缩感、空间囚禁感、与外界的疏离感以及现实生活的逼迫感……

如果我们把眼光移视现在，我们立刻就会感到现代人发明了庞大的机械，又使自己成为机械的奴隶，这种作茧自缚的情况，正如卡夫卡在《洞穴》中所描述的："个人显然变成某种动物，在洞穴中，掘建一个出口又一个出口，以保护自己；但却永远不能走出洞穴。"这是现代人最深沉的悲哀。从这里，我们可以更深一层地体会庄子蝴蝶所象征的意义。

庄子和卡夫卡一样，也将人转化而为动物（蝴蝶），但是他却借蝴蝶来比喻人类"自适其志"：蝴蝶翩翩飞舞，翱翔各处，不受空间的限制；它优游自在，不受时间的催促；飘然而飞，没有陈规的制约，也无戒律的重压。同时，蝶儿逍遥自适于阳光、空气、花朵、果园之中——这象征着人生如蝶儿般活跃于一个美妙的世界中；并且，在和暖的阳光、新鲜的空气、美丽的花朵以及芳芬的果园之间，可任意地自我吸取，自我选择——这意味着人类意志的自由可羡。

三、"人生如梦"这句说旧了的话，却创始于庄子。可是时至今日，这句话的含义，已经和庄子的原义完全变了质。

我们每个人都觉得：人生实在是短暂而飘忽，多少欢乐事，到头来终成泡影。这时，我们总习惯于用"梦"来抒发自己内心的感触。所以当我们说人生如梦时，不免充满悲凉之意。但在庄子心中，却丝毫没有这种感觉。庄子以艺术的心态，将人类的存在及其存在的境域，予以无限的美化。因此，宇宙如一个大花园，人生就在这片美景中尽情享受——如蝶儿飞舞于花丛间。因此，在庄子心中所浮现的，便是个美梦。

蝶儿栩栩然飞舞于花丛间，亦象征着人性的天真烂漫，这和西洋宗教视人性为充满罪孽相迥异。两相对照，立即显示出一种为健康活泼的精神，一种为病态沉滞的心理。

四、"物化"是庄子对于死生看法的一个基本观念。

对于死后的漆黑，无人会不感困惑恐惧。但在庄子看来，死生完全是一种相对的幻灭现象。看通了，也没有什么可怖，只不过是你从大地上来，又回到泥土里去而已。人的初始，本来就是没有形体的；而形体的形成，以至于复归消解，这个变化过程实在是不足悲的。死后能化为蝴蝶，像物化后的庄子那样，栩栩然而飞，该是多么快乐！快乐得忘了形时，还不知道自己是庄子呢！

可见庄子是借"物化"的观念，将死生的对立融于和谐之中。

二、生死如来去

我们究竟从何而来，往何而去？这是个永远解不开的谜，它的神秘使人如置身黑幕之中。

有生必有死，死是人生的终结，人生便是趋向这个终结的一个历程。在生命的历程中，死的因子无时无刻不隐伏在人的身上，当它一旦浮现时，人的生命便告终止，而他和外在世界以及其他人类的一切关系也从此被切断。

人虽然常常谈到死，恐惧死亡，但这只是对于"别人的死"的感觉，自己却从未经历过；一个活人，永远没有与人同死的经验。死是个人的事，不能由任何人来取代，每个人都必须面对它，亦没有其他人可以救助你，如德国哲学家海德格尔所说：这时候你便陷入完全孤立无援的境界。因此，当一个人眼看自己的存在趋向终点时，恐惧之情是可想而知的。

面对死亡的畏惧，庄子培养着一种洒脱的心境来化除它。

首先，我们应明白死亡之所以值得恐惧，最大的原因莫过于对死后痛苦的忧虑。然而死后的情形究竟怎样呢？是一种变迁抑或消失？若是一种变迁，则如神学家所言，灵魂将由此世引渡到彼岸；若是消失，则死亡便为无意识之事。照苏格拉底看来，如果死后化归乌有，则死亡是件幸福的事，因为它表示结束痛苦；如果死后仍有来生，则死亡仍属幸福之事，因为他可不受被放逐或临刑的骚扰。具有遁世思想的苏格拉底显然承认后者的主张，在柏拉图的对话录《斐多篇》（*Phaedo*）中，他更是卖力地辩称灵魂会再生；相反地，伊壁鸠鲁派则努力破除灵魂不朽之说，他们认为扫除一切不朽的思想，便可消除对于死亡的恐惧感。我们应对自己说：死亡是微不足道的；不管我们活着或死去，对我们都没有影响：如果活着，我们无须恐惧死，因为生命仍为我们所珍有；如果死去，我们也无须恐惧，因为恐惧乃是活人意识的表现。所以只要我们存在，死亡便不存在，故而我们和死亡永不碰头。

庄子的观点，和他们稍有出入。他不像苏格拉底那样,为了弥补自己在现实世界所受的灾难,于是幻想一个来生世界以作阿Q式的满足;他较接近伊壁鸠鲁派的看法,认为死亡是不足为惧的。但伊壁鸠鲁派以为死亡只像"无梦的睡眠",庄子则把它当作"梦中的睡眠"。人生如在梦中,则似乎承认死后仍有意识活动,如庄周蝶化后的"栩栩然而飞"。若说死后确有意识活动,这一点只能视为文学家的想象,而无法使人公认。不过庄子也仅止于文学家的想象,并没有做宗教家的幻想——虚构一个天国来欺骗自己,迷惑愚众。况且庄子死后蝶化的寓说,最大的用意乃在于化除人们对死亡痛苦的忧虑,借变了形的蝴蝶来美化死亡之事。

在庄子的意识中,死亡不过是"翛然而往,翛然而来而已"(《大宗师》)。所以我们要以旷达的心胸来迎接它。这一观点,庄子借秦失吊唁老聃之丧的故事,更生动地表明出来:

> 老聃死了,秦失去吊丧,号了三声就出来了。
> 学生便问:"他不是你的朋友吗?"
> 秦失说:"是的。"
> 学生又问:"那么,这样子吊唁可以吗?"

秦失说:"可以的。原先我以为他是至人,现在才知道并不是。刚才我进去吊唁的时候,看见有老年人在哭他如同哭自己的儿子一样,有少年人哭他如同哭自己的母亲一样。由此看来,老少都哭他哭得这样悲伤,一定是生时和他情感很深厚,而心中有不能自已者,所以不必说而说了,不必哭而哭了。这种作风是逃避自然,违背实情,忘掉了我们所赋有生命的长短。古时候称哭为逃避自然的刑法。正该来时,老聃应时而生,正该去时,老聃顺理而死(随自然的变化而消失生命)。安时而处顺,哀乐的情绪便不能入于心中了。古时候,把这叫做解除倒悬之苦。"

(《养生主》)

世俗的人群,莫不生活在倒悬的状态下,最大枷锁是人类自身被死生的念头——死之恐惧与生之情欲——所困住。人们如果能够视生死如来去——飘然而来,翩然而去。乍去乍来,"安时而处顺",把生死置于度外,不受俗情所牵累,便像"悬解":解除了倒悬一样。达到这种心境的人,视死生如一。对生不必喜,也不必厌;对死不必惧,也不必乐。人生于天地间，劳逸死生都是极其自然的事，所以应坦然处之。如庄子说：

> 大地给我形体，用生使我勤劳，用老使我清闲，用死使我安息。所以善于掌握我的生，也就善于安置我的死。(《大宗师》)

庄子说："善吾生者，乃所以善吾死也。"过着健全的一生，乃是享受圆满的死亡；肯定生，乃所以肯定死；死的价值，有赖于生来肯定；死的意义，有赖于生来赋予。你若有能力来掌握你的生，你也就有权利来埋葬你的死。如此，肯定"生"，实属首要之事。

由此可知庄子的生死观念绝不是消极的，更不是出世的。在他《逍遥游》内鲲鹏的寓言中，也可看出他对入世的情怀。

思想篇

一、鲲鹏和小麻雀

翻开《庄子》，首篇便是《逍遥游》的鲲鹏寓说：

北冥有鱼，其名为鲲。鲲之大，不知其几千里也。化而为鸟，其名为鹏，鹏之背，不知其几千里也；怒而飞，其翼若垂天之云。是鸟也，海运则将徙于南冥。南冥者，天池也。

我们先从字面上说明其中的意义：

这里的"北冥（海）"、"南冥"、"天池"都不是人迹所能到达的地方，其旷远非世人的肉眼所能窥见，要以心灵之眼才能领会。这喻示需超越有形的空间与感官认识之限制。

庄子借变了形的鲲鹏以突破物质世界中种种形相

的范限,将它们从经验世界中抽离出来,并运用文学的想象力,展开一个广漠无穷的宇宙。在这新开创的广大宇宙中,赋予你绝对的自由,可纵横驰骋于其间,而不加以任何的限制。

盖俗语所谓"海阔凭鱼跃,天高任鸟飞",虽然是形容鱼鸟的自由,但毕竟是相对的、有限度的。因为鱼、鸟的行动范围,不可能越出于海、天之外,也就是说它们是受制于海、天的。因此庄子所创造的巨鲲大鹏,意在破除有形海空的限制,以拉开此一封闭的空间系统。

鲲"化而为鸟(鹏)",仅是形状的变化,而质和量是未变的。这里的"化",乃是朝着理想世界趋进的一个过程、一个方向。

"怒而飞",意指来到人间世,奋力拓展。"怒"含有振作之意。

"海运则将徙于南冥"。海"运"即是海"动",海动必有大风,大风起兮,鹏乃乘风飞去——这意指时机。即是时机成熟、条件充足才出而应世。

"南冥"的"冥",亦作"明"解,憨山注:"谓阳明之方,乃人君南面之喻。"这喻示着入世的抱负。这一抱负一经开展,即充满着乐观的信念。由这里可以看出：庄子并非如一般人所说的悲观消极且怀遁世思想。相反，他满怀入世的雄心。只是要俟时机——即是应世有其条件，非如孔孟冀贤君之凄凄惶惶。现实世界的环境若和他的想法相距太远时，他便保留着自己的生活态度，而不愿失去自己的原则。

现在，让我们再讨论这寓言的要点。

一、庄子托物寓意，以鲲鹏意示他心中的理想人物——他称为"至人"。首先要行迹隐匿，自我磨砺。鲲潜伏在海底，犹如读书人沉伏桌案，埋头探究，以充实自己，俟内在条件准备充实后，出而应世，如鹏之高举。这种理想人物一经出现，其功便足以泽及百姓，如鹏之翼覆群生。

由此可知，庄子心中的理想人物实具有鲲鹏两者的性格：如鲲一般的深蓄厚养与鹏一般的远举高飞。

二、"北冥"、"海运"、"积厚"，意指人才的培育是需要优越的环境与自我准备。

所谓"鲲之大，不知其几千里也"，照此而推，则北海之大，必然是广漠无涯而不可以计量。大鲲非北海之广不足以蓄养，喻意人才亦需优厚的环境培养。所谓小池塘养不了大鱼，也正是："水之积也不厚，则其负大舟也无力。"载负大舟，必须水积深厚，这说明了环境对于培养人才的重要性。

在庄子笔下，大鹏的南飞之后，又出现小鸟的嘲语：

> 我尽全力而飞，跃到榆树或檀树上，有时飞不上去，投落地面来就是了，何必一举九万里飞往遥远的南海呢？

小鸟生长在榆枋，腾跃于其间，扬扬自得，怎能体会大鹏的远举之志呢？至人的志趣，世俗浅陋之徒是无法理解的。所以庄子借此以喻世人之囿于短见。

庄子在蝉与斑鸠笑大鹏的文字后，下了一个断语："这两只小虫又知道什么呢？"接着他感慨地说出了"小知不及大知……众人匹之，不亦悲乎？"显然是说：浮薄之辈不能领会渊深之士，可是他们还不自量力想去比附，岂不是太可悲了吗？紧接着，小麻雀又讥笑大鹏："我腾跃而上，不过数仞而下，翱翔于蓬蒿之间，此亦飞之至也，而彼且奚适也。"就在这里，庄子下了结论："这就是小和大的分别啊！"

与《逍遥游》有异曲同工之意的还有《秋水》篇。盖《逍遥游》的大鹏、小鸟和《秋水》篇的海若、河伯，实是前后相映，旨趣相若。河伯、海若的寓言是这样的：

> 秋天霖雨绵绵，河水上涨，所有的小川都灌注到黄河里去，河面骤然阔大，两岸和水洲之间，连牛马都分辨不清。于是河神扬扬自得，以为天下的盛美都集中在他身上了。他顺着水流往东行走，到了北海，他向东面瞭望，看不见水的边际。于是河神才转过脸来，仰望着海神感叹着……

"河伯欣然自喜，以天下之美为尽在己"，这和《逍遥游》中小麻雀的"翱翔于蓬蒿之间"，自得于一方，同样表现了自我中心的哲学。这使我们想起许多河伯型的小哲学家，只知拘泥于琐细，玩纳微末而窃窃然自喜，这在庄子眼底里，不过是一蚊一虻之知罢了！

二、涉世之道

"庖丁解牛"是庄子另一个家喻户晓的寓言。庄子借解牛喻意养生,写来形声俱活:

有一个厨夫替梁惠王宰牛。他举手投足之间,噼噼啪啪地直响,进刀剖解,牛的骨肉就哗啦一声分离了,牛的分裂声和刀的割切声莫不合乎音乐的节拍,厨夫的一举一动也莫不合于桑林乐章的舞步和经首乐章的韵律。

梁惠王看了不禁赞叹着:"啊!好极了!技术怎能精巧到这般的地步?"

厨夫放下屠刀回答说:"我所爱好的是道,已经超乎技术了。我开始宰牛的时候,满眼只见浑沦一牛。三年以后,就未尝看见整条牛了,所见乃是牛骸筋骨的分解处。到了现在,我只用心神来体会而不用眼睛去观看，耳目器官的作用都停止了，只是运用心神，顺着牛身上自然的纹理，劈开筋骨的间隙，导向骨节的空窍，按着牛的自然纹理组织去用刀，连筋骨盘结的地方都没有一点儿妨碍，何况那显见的大骨头呢？好的厨子一年换一把刀，他们是用刀去割筋肉；普通的厨子一个月换一把刀，他们是用刀去砍骨头。现在我的这把刀已经用了十九年，所解的牛有几千头了，可是刀口还像是新磨的一样锋利。因为牛骨节是有间隙的，而刀刃是没有厚度的，以没有厚度的刀刃切入有间隙的骨节，当然是游刃恢恢，宽大有余了，所以这把刀用了十九年还是像新磨的一样。虽然这样，可是每遇到筋骨交错盘结的地方，我知道不容易下手，就小心谨慎，眼神专注，手脚缓慢，刀子微微一动，牛就哗啦一下子解体了，如同泥土溃散落地一般，牛还不知道自己已经死了呢！这时我提刀站立，张望四方，心满意足，把刀子揩干净收藏起来。"

梁惠王说："好啊！我听了厨夫这一番话，得着养生的道理了。"（《养生主》）

文惠君听了庖丁的一番话，想到"养生"的道理上面去了。事实上庖丁的话，不仅意示着自处之道，也说出了处世之道。这生动的故事隐含着两个重点：

一、庖丁能顺着自然的纹理去解剖筋骨盘结的牛，指出世事、世物的复杂，只要能顺乎事物的自然组织去做，乃可迎刃而解。这说明了处世之道：勿强行，毋妄为。

二、庖丁解牛，虽然"游刃有余"，但是每次解牛的时候，他总是小心谨慎。解完牛，虽然"踌躇满志"，但不露锋芒，随即把刀揩干净收藏起来。这心理上的警觉和行为上的收敛便是自处之道。

"庖丁解牛"的故事见于《养生主》，而它的旨意却在《人间世》上更具体、更细微地发挥出来。后者的前一半文章，先叙述人世间的混浊难处，而后说出涉世的态度。后半部则多抒发自处之道，和"庖丁解牛"旨意相通。

《人间世》首先说尽了涉世的艰难。其所以艰难，乃因世间的混浊，而混浊当然是由统治阶层所造成的。

由是，庄子假借孔子和颜回师生两人的对话，揭露了当时统治者的黑暗面，如：统治者的一意孤行（"轻用其国，而不见其过"）；视民如草芥（"轻用民死，死者以国量乎泽若焦")和只要贤能的臣子有爱民的表现，就会招忌而卒遭陷害（"修其身以下伛人之民故人君，因其修以挤之"）。

若要和这样顽强暴虐的统治者相处，或进一步想去谏说他，便很困难了。"他一定会乘人君之势，抓着你说话的漏洞，辩倒你。这时，你会自失其守，眼目眩惑，面色和缓，口里只顾得营营自救，于是容貌迁就，内心无主，也就依顺他的主张了。这是用火去救火，用水去救水，这就叫做帮凶了。"（《人间世》）那么，面对这样的情形，有什么法子呢？

庄子假托颜回前后提出了三种对应的态度：

一、"端虚勉一"——外貌端肃而内心谦虚，勉力行事而意志专一；

二、"内直外曲"——心里耿直而外表恭敬；

三、"成而上比"——谏诤时引用古人的成语。可是，庄子又借孔子的嘴，肯定统治者是积重难返，不可感化的！孔子又提出要"心斋"。"心斋"之道，乃要人做到"虚"——不要对外界的东西耿耿于怀，要能泰然处之。达到这种心境以后，才可进一步谈处世之道的要诀：

> 若能入游其樊，而无感其名，入则鸣，不入则止……绝迹易，无行地难。

庄子认为，在世网之中，要赴之以"游"的心怀，不被名位所动。而且，和这样乖谬的统治者相处，态度应该是："能够接纳你的意见就说，不能接纳你的意见就不说。"不必逞一时之气，强使其接纳。

他又认为，应世之难，莫过于君。而人间世上是无往而无君的，不管是直接或间接，总要和统治者接触，发生关系，这是"无所逃于天地之间"的事。因而庄子反复地说明涉世相处的艰难，并指出对应之策。在凶残的权势结构下，他提出"无用之用"，对统治阶级采取不合作的态度。并提醒人们：自处之道，首在谨慎行事。

庖丁解牛虽然近于神乎其技，可是他每次碰上筋骨交错的地方，就特别小心谨慎。在《人间世》内，庄子也一再提醒人不要像"志大才疏"的螳螂一样，自恃本事大，"怒其臂以当车辙"，结果遭殃的还是自己。

才智之士，处于乱世务须小心谨慎，不要夸耀自己的才能，才能外露时会招忌于人，这是启争之端。因而，庄子看来，在这"福轻乎羽，祸重乎地"的年头，才智之士应知藏锋，藏锋的妙策，莫过于以"无用"而藏身。

三、无用之用

世俗世界的人，往往以实用为权衡价值的标准。有直接而实际效用的事物，就认为它有价值；没有直接而实际效用的，就认为它没有价值。殊不知许多东西的用处虽是间接而不显著，然而其重要性却远超过了那些有直接效用之物。庄子虽然没有指出纯理论知识比实用技术重要，但是他揭露了一般人的急功好利，目光如豆，而只知斤斤计较于眼前的事物。于是，站在实用本身的立场，他阐扬"无用之用"的意义。

从庄子哲学看来，"无用之用"有几层意思：

一、借此说以发抒自己的心事。

庄子的立意借纵横洸洋的笔端倾泻而出，"犹河汉而无极"，乍听起来，觉其言"大而无用"、"狂而不信"。这点庄子似乎有先见之明。所以他说："瞽者无以与乎文章之观,聋者无以与乎钟鼓之声。"

二、世俗世界的人,限于小知与无知,往往有眼无珠而不识大才大用;他们是拙于用大的。

在《逍遥游》里,庄子又借惠子以抒发自己的心事:

> 惠子对庄子说:"魏王送我一颗大葫芦的种子,我种在土里,长大以后,结出来的葫芦足足有五石容量那么大;用来盛水,它坚固的程度却不足够;把它剖开来做瓢,又没有这么大的水缸可以容纳得了。我认为它空大无用,所以把它打碎了。"
>
> 庄子说:"你真是不善于使用大的东西啊!宋国有个人,精于制造一种不皲裂手的药物,他家世世代代都以漂洗丝絮为业。有一个客人听闻这种药品,愿意出百金收买他的药方。宋人把全家人找来共同商量:'我家世世代代以漂洗丝絮为业,只得到很少的金子,现在卖出这个药方,立刻就可以获得百金,就卖了吧!'客人得到药方,便去游说吴王,这时越国犯难,吴王就拜他为将,冬天和越国水战,因为用了这药,兵士可免于冻裂之患,结果大败越国,吴王遂割地封赏

他。同样一种药方,有人使用它,可以得到封赏;有人使用它,只是漂洗丝絮,这就是因为使用的方法不同的缘故。现在你有五石容量的大葫芦,为什么不把它当作腰舟浮游于江湖之中,却反而愁它无处可容(用)呢?你的心真是茅塞不通啊!"(《逍遥游》)

同是一物,不同的人以不同方法使用它,便产生了如此相异的效果。在这里,庄子意示着世人的不善用其大。接着,又从和惠子的对话中引出他那"无用之用"的妙论:

惠子对庄子说:"我有一棵大树,人家都叫它为'樗'。它的树干上木瘤盘结,不能合乎'绳墨',它的小枝弯弯曲曲,不能合乎'规矩'。长在大路上,经过的木匠都不瞅它一眼。你的言论,大而无用,大家都不肯相从。"

庄子说:"你不曾看见过野猫和黄狼吗?卑伏着身子,等待捕捉出游的小动物,东西跳跃,不避高低,往往踏中捕兽的机关,死于网罟之中。再看看那牦牛,庞大的身子好像天边的云彩,虽然不能捉老鼠,但它的功能可大极了。现在你有这么一棵大树,还愁它无用,为什么不把它种在渺无人烟的地方,广漠无边的旷野上,你可无所事事地徘徊在树旁,逍遥自在地躺在树下。这树就不会遭受斧头的砍伐,也没有东西会侵害它。无所可用,又会有什么祸害呢!"(《逍遥游》)

《人间世》里亦将"无用之用"这观念大加发挥。

有个名叫石的木匠往齐国去,到了曲辕,看见有一棵为社神的栎树。这棵树大到可以供几千头牛遮荫,量一量树干有百尺粗,树身的长度高过山头好几丈以上才生树枝,可以造船的旁枝就有十几棵。观赏的人群好像闹市一样的拥挤,匠人却不瞧一眼,直往前走。

他的徒弟站在那儿看了个饱,追上石匠,问说:"自从我拿了斧头跟随先生,未曾见过这么大的木材。先生不肯看一眼,直往前走,为什么呢?"

石匠说:"算了吧,不要再说了!那是没有

用的'散木',用它做船就会沉下去,用它做棺椁就会很快腐烂,用它做器具就会很快折毁,用它做门户就会流污浆,用它做屋柱就会被虫蛀,这是不材之木,没有一点用处,所以才能有这么长的寿命。"

石匠回家以后,夜里梦见栎树对他说:"你要拿什么东西和我相比呢?把我和文木相比吗?那柤梨橘柚等结果子的草木之类,果实熟了就遭剥落,剥落就受伤;大枝被断,小枝被拉下来。这都是由于它们的'才能'害苦了自己的一生,所以不能享尽天赋的寿命,中途就夭折了。这都是由于自己显露有用而招来世俗的打击,一切东西没有不是这样的。我把自己显现无处可用的样子,已经很久了,然而有好几次我还是几乎被砍死,到现在我才保全到自己,'无处可用'对我正是大用。假使我有用,我还能长得这么大吗?"

(《人间世》)

三、不为世俗所容的人,对于他们自己本身却有很大的益处,尤其是不被统治阶层所役用的人,对于自身是件幸事。

世俗对于能者的排挤打击，实在是无所不为。庄子唤醒才智人士，要能看得深远，不必急于显露自己，更不可恃才妄作，否则若不招人之嫉，也会被人役用而成牺牲品。

自我的显现或炫耀，都将导致自我的毁灭。正如"山上的树木被做成斧柄来砍伐自己，油膏引燃了火反转来煎熬自己。桂树可以吃，所以遭人砍伐；漆树可以用，所以遭人割取"（《人间世》）。这和"虎豹因为身上有纹彩，所以招引人来猎取"（《应帝王》）的道理是一样的。无怪乎庄子喟然感叹地说："世人只知道有用的用处，而不知道无用的用处。"（《人间世》）

庄子强调"无用"，并不是为一切"废物"辩护，也不是表现颓唐的心境。乃在于提醒才智之士不可急功近利而为治者所役用，否则后患便无穷了。譬如李斯，在他做秦朝宰相时，真是集富贵功名于一身，可是最后终于在政治斗争中垮下来。当他被拘下狱时，不禁仰天而叹说："昔者桀杀关龙逢，纣杀王子比干，吴王夫差杀伍子胥，此三臣者，岂不忠哉，然而不免于死，身死而所忠者非也。"（《史记·李斯列传》）李斯所感叹的，庄子早指出了。多少人贵幸名富显于当世，然而卒不免为阶下囚；"狡兔死，良狗烹……敌国破，谋臣亡。"从淮阴被诛、萧何系狱的事例，可以体会庄子倡言"无用"的警世之意。他深深地觉察到智士多怀才不遇，因之往往陷于悲观或悲愤。于是乃发挥"无用之用"的旨意，以拯救知识分子的危机。在这一点上，庄子对于后代读书人的抗议精神有深远的影响。

　　庄子生当乱世，深深地觉察到在乱世里"无用"于治者实有"用"于己——不被官僚集团所役用对自己实有很大益处。敏锐的庄子一眼便看穿那些官僚集团不过是戴了面具的盗跖之流，他们豪夺国土，摇身一变而为诸侯；更巧取仁义，将自己塑造为圣人。庄子一方面机警地避开他们，不与为伍，另一方面又灵妙地揭开了他们假仁假义的面具。

四、抨击仁义

在庄子的世界中,那种自得其得,自适其适的心境,那份广大宽闲,悠然意远的气派,都是别家所无的。因而,在他的天地里,凡是一切束缚人性的规范,他都会举笔抨击。

在内篇中,庄子对于仁义的弊端,有力地点了两笔:

> 仁义的论点,是非的途径,纷然错乱。(《齐物论》)
> 尧用仁义给人行墨刑。(《大宗师》)

庄子并不反对道德本身,他所反对的是"违失性命之情"的宗法礼制,是桎梏人心的礼教规范("礼教"一词最早见于《庄子·徐无鬼》)。庄子说"大仁不仁"、"至仁无亲","大仁"、"至仁"是有真情实感而无偏私的德行。

庄子为文,幽渺之至。当他要否定一样东西的时候,往往从旁设喻,令你无法正面卫护;或偶尔一笔带过,笔力却雄劲不可挡。他绝不怒形于色,更不作怒骂的姿态。所以外篇及杂篇中,有许多对于仁义大肆"掊击"的言辞,看来不像庄子本人的语调及风格,可能是庄子后学的笔法。也许到了庄子晚年,仁义已变成统治阶层戕贼人类的工具,祸害甚深。所以庄子学派笔尖直指那些"道德君子"和"窃国诸侯",猛力抨击。

庄子后学掊击仁义,不外乎两个重要原因:

一、仁义已成为强制人心的规范。

仁义已像"胶漆缠索"般囚锁着人心,结果弄得"残生伤性"。

庄子后学甚而激烈地抨击:若从残害生命戕伤人性的观点看来,为仁义而牺牲的人,世俗上却称之为"君子"。这些好名之徒,事实上和"小人"又有多大的分别呢!

对仁义的"撄人心"(《在宥》),庄子在《天运》中作了有趣的讥讽:

孔子见老聃谈起仁义,老聃说:"蚊子叮人皮肤,就会弄得整晚不得安眠。仁义搅扰人心,没有比这更大的祸乱了。"

仁义对人性的纷扰,道家人物的感受可说最为敏锐。

二、仁义已成为"圣人"们的假面具,"大盗"们的护身符。

仁义这东西,行之既久,便成为空口号而失去原有的意义了。更糟的是,它已成为作恶者的口头禅了。

庄子学派菲薄仁义,最主要的原因,乃是因它被"大盗"窃去,成为王权的赃品了。

圣人不死,大盗不止。虽然借重圣人来安定天下,却大大增加了盗跖的利益。制定斗斛来量东西,就连斗斛也一起被窃取了;设计天秤来称东西,就连天秤也一起被窃取了;做成印章来互相取信,就连印章也一起被窃取了;提倡仁义来矫正行为,就连仁义也一起被窃取了。怎么知道是这样的呢?那窃取带钩的就被刑诛,窃取国家的反成诸侯,诸侯的门里,就有了仁义。(《胠箧》)

"圣人不死,大盗不止"中隐含着两个意义:

一、圣人"蹩躠为仁,踶跂为义",汲汲于用仁义绳人,遂激起人的反感,而祸乱滋生。因此,只要"圣人"存在一天,大盗便永无终止之日。

二、"圣人"和"大盗"乃名异而实同。他们假借"仁义"的美名,以粉饰谎言,掩藏丑行。所以说:"窃国者为诸侯,诸侯之门而仁义存焉。"

这是一项沉痛的透视。同时,也确切勾画出当时社会背景的真情实况。

五、理想人物

在庄子眼中,当道人物都是一丘之貉,世俗人群则为浑噩之徒,除了这两种人物之外,世间还有几类特殊之士:

> 思想犀利,行为高尚,超脱世俗,言论不满,表现得很高傲;这是山林隐士、愤世的人、孤高寂寞者、怀才不遇者所喜好的。谈说仁义忠信,恭俭推让,洁好修身而已;这是平时治世之士、实施教育的人、讲学设教者所喜好的。谈论大功,建立大名,维护君臣的秩序,匡正上下的关系,讲求治道而已;这是朝廷之士、尊君强国的人、开拓疆土建功者所喜好的。隐逸山泽,栖身旷野,钓鱼闲居,无为自在罢了;这是优游江海之士、避离世事的人、闲暇幽隐者所喜好的。

吹嘘呼吸，吞吐空气，像老熊吊颈飞鸟展翅，为了延长寿命而已；这是导引养形的人、彭祖高寿者所喜好的。(《刻意》)

上面列举的五种人，也可说略道尽世间的品流。而庄子却另外创构了一种理想人物，有时称他们为至人，有时称为真人，又有时称为天人或神人，不一其名。

《逍遥游》内说到这种理想人物，能够顺着自然的规律，以游于变化之途。庄子运用浪漫的手法，将这类人描绘得有声有色：

藐姑射之山，有神人居焉，肌肤若冰雪，绰约若处子。不食五谷，吸风饮露。乘云气，御飞龙，而游乎四海之外。

庄子以文学式的幻想，把姑射之山的神人构绘得有若天境中的仙子。在这里，有几点值得我们注意：这是浪漫幻想的驰骋，绝非神仙家之言；而庄子的用意在于打破形骸的拘囚，以使思想不为血肉之躯所困；至于"游乎四海之外"是精神上的升越作用，和

《天下》篇的"与天地精神往来"具有同样的意义。

在不受外界物质条件约束的意义下,庄子在《齐物论》上这样描写:

> 至人神矣!大泽焚而不热,河汉冱而不能寒,疾雷破山风振海而不能惊。若然者,乘云气,骑日月,而游乎四海之外。

庄子这种笔法在当时是很新鲜的,在表达辞意和开拓境界方面,都富有独创性。可惜后来被道教之流抄袭得陈俗不堪。

庄子在这里无非想表示这种人是丝毫不受外在环境影响的。他能够顺物而行,随时而化,不执著,又不受尘俗所累。

神人的面貌,极具形象之美。可是到了《德充符》,庄子却笔锋回转,把德行充实者的形象装扮得丑陋之至。好像粉墨登台的丑角一般,接连出现了三个跛子,然后是一个丑貌的人和一个拐脚、驼背而缺嘴的人,最后是一个颈项长着大如盆的瘤瘿者。庄子为什么要把他们勾画得这般奇形怪状呢?原来他想借此以说明"德有所长,而形有所忘"。在破除人们重视外在形骸这观念上，庄子虽然描绘得矫枉过正，可是他的用意并不难体会；因为他一心一意要强调须以内在德行来感化他人。

《德充符》中这些四体不全的人，虽然"无人君之位以济乎人之死，无聚禄以望人之腹，又以恶骇天下"，可是这些人却有一股强烈的道德力量吸引着大家。形体丑而心灵美，便是庄子所创造的一种独特的理想人物。

庄子运用他那丰富的想象力，在《德充符》内作了一番奇异的写照外，又在《大宗师》给"真人"换上一副面貌：

> 什么叫做真人呢？古时候的真人，不违逆微少，不自恃成功，不谋谟事情；若是这样，便没有得失之感，过了时机而不失悔，顺利得当而不自得。像这样子，登高不发抖，下水不觉湿，入火不觉热。这就是知识能到达与道相合的境界。古时候的真人，睡觉时不做梦，醒来时不忧愁，饮食不求精美，呼吸来得深沉。
>
> 古时候的真人，不贪生，不怕死，泰然而处；无拘无束地去，无拘无束地来，不过如此而

已。不忘记他自己的来源,也不追求他自己的归宿,顺乎始终的自然……

像这样子,他心里忘记了一切,他的容貌静寂安闲,他的额头宽大恢弘;冷肃得像秋天一样,温暖得像春天一样,一喜一怒如同四时运行一样的自然,对于任何事物都适宜,但也无法测知他的底蕴。

古时候的真人,样子巍峨而不畏缩,性情谦和而不自卑;介然不群并非坚执,心志开阔而不浮华;舒畅自适好像很喜欢,为人处世好像不得已;内心湛然而面色和蔼可亲,德行宽厚而令人归依;严肃不骄,高迈于俗,沉默不语好像封闭了感觉,不用心机好像忘了要说的话。(憨山:《庄子内篇注》)

庄子将真人的心态、生活、容貌、性情各方面,给了我们一个基本轮廓。这种真人"虽超世而未尝越世,虽同人而不群于人"。至于另外一些神奇的描写,譬如说真人"登高不栗,入水不濡,入火不热",无非是强调他不受外界任何的影响而能把握自我罢了!

把握自我即意味着不受外在因素或物质条件的左右；不计较利害、得失、生死，这样的胸怀，确实需要有真知的熏陶，正所谓"有真人，而后有真知"。

六、肯定真知

　　许多学者以为庄子是否定知识的，但这只是皮相之见。

　　庄子在《养生主》内，说了一句众所周知的话，引起了普遍的误解。他说：

> 吾生也有涯，而知也无涯，以有涯随无涯，殆已！（《养生主》）

　　的确，"我们的生命是有限的，而知识是无限的"。这是没有人怀疑的事实。庄子再提出警告：如果"以有限的生命去追求无限的知识，就会弄得疲困不堪了"。由于庄子对人类的认知能力与知识范围，作了一番深彻的检讨与反省，因此提出了这样的警告。再看《秋水》篇，庄子对于这观点有更清楚的引申：

> 计算人所知道的，总比不上他所不知道的；人有生命的时间，总比不上他没有生命的时间；以极其有限的生命去追求无穷的知识领域，必然会茫然而无所得。

庄子对于生命的限度和知识的范围作了一番审查，认为以有限的生命力去追求无穷的知识范围，是人类能力所无法达到的。若在能力以外的地方去挖空心思，必然会茫然而无所得。这也正是庄子提醒人们"以有涯随无涯，殆已"的原因了。

由于知识是浩瀚无边的，而人类的生命和认知能力却有限。因而庄子认为，这认识或许对于匆促的人心是颇有益处的：当知识的探求已超出极限范围以外，便应适可而止；而对于我们能力所不能达到的事物，亦应安于无知。所以庄子说："知，止乎其所不能知，至矣！"（《庚桑楚》）如果我们了解英国哲学家洛克也是致力于划分人类理解力的能限，我们就更能深一层体会庄子的用意了。

《庄子》书中确有反对"知"的言论，然而他所反对的，乃是世俗之知，是"小知"。据我的分析，不外属于下列几种情形：

一、世俗之知不过是适时应世的口耳之学。

二、世俗之知多属感觉之知。这一类的"知"可开扩欲的范围与满足欲的需求。然而也仅止于取足一身口体之养。

三、智巧之知为启争之端，宜加以摈弃。庄子所谓："知出乎争……知也者，争之器也。"（《人间世》）"智"往往成为人们互相争辩的工具，用来夸耀自己。这里的"智"，乃指运用心机，最为庄子所鄙弃。

四、"小知"只是片面的认识，往往偏执一端、拘于一隅而自以为是。所谓"是其所非，而非其所是"（《齐物论》），各以所见为知，各以所守为是，这一切都是主观意念与成见所造成的。

世俗世界"小知"的形成乃由于"拘于虚"、"笃于时"、"束于教"（《秋水》）——受空间的拘囚、时间的范限以及礼教的束缚——所致，所以是一种封闭性的见识而已。《秋水》篇中，庄子还借一个寓言，讥讽这类小知小见者：

你没有听到浅井蛤蟆的故事吗？这蛤蟆对东

海的大鳖说:"我快乐极了!我出来在井栏杆上跳跃,回去在破砖边上休息;在水里游的时候,水就浮起我的臂腋、支撑着我的两腮;踏在泥里的时候,泥就掩盖着我的脚背。回顾井中的赤虫、螃蟹与蝌蚪,都不如我这般的逍遥自在。况且我独据一池井水,跳跃其间,真是快乐到极点了。先生,你何不常进来观赏观赏呢!"

东海的鳖左脚还没有跨进去,右膝已经被拘束了。于是乃从容地退却,把大海的情形告诉它:"千里路的遥远,不足以形容它的大;八千尺的高度,不足以量尽它的深。禹的时代十年当中有九年水灾,然而海里的水并不增加;汤的时代八年当中有七年旱灾,然而海边的水并不减退。不因为时间的长短而改变,不由于雨量的多少而增减,这也是在东海的大快乐啊!"

浅井里的蛤蟆听了惊慌失措,茫然自失。

河伯的"欣然自喜"和井底蛤蟆的"跨跱坎井之乐",写尽了小知小见的固蔽,一旦见到"大方之家"的真知灼见,便豁然开通。由此可知,庄子并非要贬抑知识或抹杀智慧:

一、任何一种物象,从不同的角度去观察,会得出不同的印象;你从这面看就看不见另一面,他从另一面看就看不见这面,有因而认为是的,就有因而认为非的,有因而认为非的,就有因而认为是的。所以事物因对待而产生了是非,同时,人总认为自己"是"而别人"非",因而坚持己见,争论不休。事实上若能互相易地而观,则是非争论自然消失。唯怀有真知才能从事物的整体性着眼,并从每个角度作全面观察。所以真知乃能"照破"是非对待,而达成全体的观照与全面的透视。

二、真知不拘限于形迹。这观点见于《秋水》篇河伯和海若的寓言中:

河神说:"世俗的议论者都说:'最精细的东西是没有形体的,最广大的东西是没有外围的。'这是真实的情况吗?"

北海神说:"从小的观点去看大的部位,是看不到全面的,从大的观点去看小的部位,是看不分明的。'精'是微小中最微小的;'垺'是广大中最广大的;大小各有不同的方便,这是情势如此。所谓精小粗大,乃是限于有形迹的东西;

至于没有形迹的东西,便是数量都不能再分了;没有外围的东西,便是数量也不能穷尽了。可以用语言议论的,乃是粗大的事物;可以用心意传达的,乃是精细的事物;至于语言所不能议论,心意所不能传达的,那就不局限于精细粗大了。"

知识的领域不局限于有形世界,所以思想角度不宜拘于物相、役于语言。

三、人要了解知识的对象,知识的性质;了解人在宇宙中所处的地位;了解知识所能达到的范围,如超出此范围,便应安于无知。

四、了解物物之间的对待关系,并要超出事物的对立性而体味和谐之美。

五、扩大人类对于自然界的信念与信心。注意天(自然)人之间的关系:取消人和自然的对立,而与自然相和谐。人为自然的一部分——自然如同大我,个人如同小我,在本质上是如一的。所以人生活在大自然的怀抱内,应取法乎自然——人类的行为与行事,都应合乎天然的运行——一切顺其自然无为。

七、自然无为

庄子提出"自然无为"思想是有其时代背景的。当时社会已经到达了"纷然淆乱"的情景，各类政治人物都在嚣嚣竞逐，结果弄得"天下瘁瘁焉人苦其性"。庄子洞察这祸乱的根源之后，就认为凡事若能顺其自然，不强行妄为，社会自然能趋于安定。所以庄子"自然无为"的主张，是鉴于过度的人为（伪）所引起的。在庄子看来，举凡严刑峻法、仁义道德、功名利禄、知巧机变以及权谋术数，都是扭曲自然的人性，扼杀自发的个性。就像水泽里的野鸡一样，十步一啄，百步一饮，满是逍遥自在的，可是一旦被人关起来，虽然有人喂食，但它其实并不希望被养在笼子里。同样，人类也不愿被这一些礼俗、刑规和制度所拘囚。

在庄子看来，凡事都要能适其性，不要揠苗助长,"凫胫虽短,续之则忧;鹤胫虽长,断之则悲。故性长非所断,性短非所续"(《骈拇》)。任何"钩绳规矩"的使用,都像是"络马首,穿牛鼻",均为"削其性者"。正如《马蹄》篇上描述的:

> 马,蹄可以践霜雪,毛可以御风寒,龁草饮水,翘足而陆,此马之真性也。虽有义台路寝,无所用之。及至伯乐曰:"我善治马。"烧之,剔之,刻之,雒之,连之以羁縶,编之以皁栈,马之死者十二三矣;饥之,渴之,驰之,骤之,整之,齐之,前有橛饰之患,后有鞭筴之威,而马之死者过半矣。

"橛饰之患",乃为造成苦痛与纷扰之源;凡是不顺乎人性而强以制度者亦然。

这一观点同样可以推广到政治上。统治者不要自订法律来制裁人民,这样去"治天下"就如同"蚊子负山",是不能成功的。因此,一切要任其自然,不要使用手段来压制人民。"鸟儿尚且知道高飞以躲避网和箭的伤害,老鼠尚且知道深藏在社坛底下,以避开烟熏铲掘的祸害,难道人民无知还不如这两种虫子吗?"(《应帝王》)所以《应帝王》中庄子认为若能"顺应事物变化的自然,不要用自己的私心,天下就可以治理好了"。——这也是"自然无为"的旨意。

于此可知,"无为"即是指掌握权力的统治者,不要将自己的意欲强加于人民身上。否则,用心虽善,也会像鲁侯养鸟一样:

> 从前有只海鸟飞落在鲁国的郊外,鲁侯把它迎进太庙,送酒给它饮,奏九韶的音乐使它乐,宰牛羊喂它。海鸟目眩心悲,不敢吃一块肉,不敢饮一杯酒,三天就死了。这是用养人的方法去养鸟,不是用养鸟的方法去养鸟……所以先圣了解人的个别性。(《至乐》)

在《应帝王》的篇末,有一个含义深远的寓言,这便是著名的"凿浑沌":

> 南海的帝王名叫儵,北海的帝王名叫忽,中央的帝王名叫浑沌。儵和忽常到浑沌的国境里相会,浑沌待他们很好。儵和忽商量报答浑沌的美意,说:"人都有七窍,用来看、听、饮食、呼

吸,唯独他没有,我们试着替他凿七窍。"一天凿一窍,到了第七天,浑沌就死了。

"浑沌"是代表着质朴、纯真的一面。庄子目击春秋战国时代,国事纷乱,弄得国破人亡,都是由于统治阶层的繁扰政策所导致。庄子这一寓言,对于当世是一个真实的写照,对于后代则是澄明的镜子。在今日这粉饰雕琢的世界看来,这寓言尤其具有特殊意义。

归结地说,庄子的"自然"乃喻示着人性的自由伸展与人格的充分发展,不受任何外在力量的强制压缩或约束,如此,才能培养一个健全的自我。然而自我的个性与意欲却不能过分伸张,如若影响到他人的行动或活动范围时,便容易构成胁迫、侵占乃至并吞的现象。至此,乃有"无为"思想出现。"无为"即是唤醒人们不要以一己的意欲强行施诸他人,这样才能维持一种均衡的人际关系。在这关系中,人与人之间的存在地位是并列的,不是臣服的。如此,每个人都可发挥自己的意志和创造力,而做到真实地存在;另一方面,人人都能承认并尊重他人的个性与地位。在这样的社群关系中,个人既可得到充分发展,又可群聚而居。

庄子"自然无为"的观念，负面的意义是因过度的虚伪、造作所引起。正面的意义则是他察照自然界中的现象后所引发的。因为他发现自然界中，四时运行，万物滋生，一切都在静默中进行。大自然的宁静优美，实可医治及粉饰虚伪的人事所带来的烦嚣混乱。因此，"自然无为"的观念，可说是由广大的自然之美孕育而成的。

八、自然之美

庄子实为一位自然哲学家。他的哲学观念乃放眼于广大的自然界,不似儒家仅局限于人事界。

西方亦有很多自然哲学家,然而基本的精神和观点,则和庄子有很大的不同。希腊人往往把自然界看成无意义的物质世界;中世纪更视之为实现人性虚荣欲望的活动场所,因而把它当作罪恶之域;及于近代,则把自然界看为一数理秩序、物理秩序的中立世界,并排除一切真善美的价值,以视之为非价值的领域。

西方的自然哲学,以客观世界为对象,人类处于卑微的地位。尤其是早期希腊哲学思想,均不出自然的范围,那些哲学家所注意的是外在的世界,并持科学的态度加以剖析了解。至于人类,则仅被视为自然的一部分,因而对人类生命的活动及价值,便忽略不谈。庄子的自然哲学则不然,他以人类为本位,并将生命价值灌注于外在自然,同时,复将外在自然点化而为艺术的世界。由是,在庄子的哲学中,人与自然的关系,不似西方常处于对立的"分割"状态,而是融成一个和谐的整体世界。

许多西洋哲学家,将自然视为价值中立的世界,更有不少人将自然视为负价值的领域,遂使人和自然的关系处于冲突与斗争中。罗素谈到人类的"三种冲突"时说:"人的天性总是要和什么东西冲突的",并视人的斗争有三种,第一种就是"人和自然的冲突",而斗争胜利便是生存的要件,胜利者往往以征服者的姿态出现,他们将自然视为一种束缚,为了解除束缚,于是致力去认识它,克服它。西方科学知识与科学技术能够如此发达,大抵可说是这一态度所促成的。

综合来看,西方以往的形而上学家,对于自然均表现出一种超越的观念。他们常在自然之外,幻想另一超自然以为对立。到了近代,哲学家才借助于科学知识,就自然本身作出剖析,这是属于纯理论系统的建构,而他们和自然接触后的态度,却迥异于庄子。在庄子心目中,广大的自然乃是各种活泼生命的流行境域,自然本身,含藏着至美的价值。所以庄子不凭空构造一个虚空的超自然,也不将现有的自然视为沉滞的机械秩序。

庄子认为自然是生我、养我、息我的场所,我们的衣食取之于自然,游乐凭借着自然,阳光空气、春风秋月,都是大自然给我们的"无尽藏"宝物。这样的自然实为滋生万物而具慈祥性的 mother nature。所以在庄子心中,人和自然之间根本没有冲突,相反,彼此间表现着和谐的气氛。庄子《齐物论》上的"三籁":天籁与地籁相应,地籁与人籁相应——自日月星辰,山河大地以至于人身也是一个大和谐。

庄子的自然观,影响后人很大,这种思想也可说代表了中国人心境上一个显著的特征。后世"游于万化"的艺术精神和"返回自然"的文学呼声,都是在庄子哲学中寻得启示。陶渊明"久在樊笼里,复得返自然"的感慨,亦道出了庄子的心声,同时也表明了人事无异于罗网,唯有自然乃最为赏心悦目的去处。

"山林欤,皋壤欤,使我欣欣然而乐欤!"大自然对于庄子心境的熏染,无疑是很深刻的,再加上他那独特的审美意识,所以在他看来,大自然就是一个美妙的境地,我们根本无须在世外另找桃源。他深爱这个自然世界，因而对它采取同情与观赏的态度。

自然是美的。在庄子眼中，自然之美含藏着内在生命及其活泼之生机，它孕育万物，欣欣向荣，表现着无限的生意。无怪乎庄子赞叹着：

> 天地有大美而不言，四时有明法而不议，万物有成理而不说。(《知北游》)

自然之美表现于无言，庄子乃由大自然的默察中而引申其无言之美。

九、不辩之辩

战国初期的庄子,正值百家争鸣以及坚白异同之辩最热闹的时候。敏锐的他,把各家争辩时的情形都看在眼底,他描述当时的境况是:

大知广博,小知精细;大言气焰凌人,小言则言辩不休。他们睡觉的时候精神错乱,醒来的时候则形体不宁。一旦接触到外界的事物便好恶丛生,整天钩心斗角。有的出语迟缓,有的发言设下圈套,有的用辞机巧严密。他们总是恐怕被别人驳倒,于是内心惶然,小的恐惧是提心吊胆,大的恐惧是惊魂失魄,他们专心窥伺别人的是是非非。一旦发现别人的漏洞,便发言攻击,其出语之快有若飞箭一般;他们不发言的时候,就心藏主见,如固守城堡一样,默默不语以等待致胜的机会。他们工于心计,天真的本性就日渐消失,如同秋冬的肃杀之气;他们沉溺在所作所为之中,一往而不可复返。他们故步自封,被无厌的欲求所蔽塞。于是心地麻木,没有办法使他们恢复活泼的生气了。他们时而欣喜,时而愤怒,时而悲哀,时而欢乐,时而忧虑,时而嗟叹,时而反复,时而惊惧,时而浮躁放纵,时而张狂作态。(《齐物论》)

庄子把当时各家争论时的心理状态与行为情态,描绘得淋漓尽致。我们可以想象得到,当时的文化论战,大家辩争得鼓睛暴眼的样子,也确实显得不够冷静。庄子这一描绘,倒是击中了各家的要害。

各家为什么会这样"纷然淆乱"地争辩呢?在庄子看来,就是由于"成心",即成见。这是由于一时一地的自我主观因素所形成,形成之后,人人就拘执己见,偏于一隅。最后浮词相向,便演成口辩。在这里,庄子找出儒墨两家作为代表,以"不谴是非"的态度,而行谴责之实:

道是怎样被隐蔽而有真伪呢?言论是怎样被隐蔽而有是非呢?"道"是无往而不存的,言论是超出是非的,"道"是被小的成就隐蔽了,言论是被浮华言辞所隐蔽了。所以才有儒家墨家的是非争辩,双方都自以为是,以对方为非。对方所认为"是"的,就说成"非";对方所认为"非"的,就说成"是"。(《齐物论》)

"小成"的人,拘泥于片面的认识。于是双方相互指责,每个人都自以为是,排斥异己,因此卷入纷争之中,其争愈久,其纷愈不可解。

在争论之中,各家都劳动心思去求其齐,而不知道他们所争的东西根本都是一样的。这就好像《齐物论》中养猴子的老人,分橡子给猴子吃:"早晨给你们三升,晚上给你们四升。"猴子听了都发起怒来。狙公又说:"那么,早晨给你们四升,晚上给你们三升吧。"猴子听了都高兴起来。名和实都没有变,只是利用猴子的喜怒情绪,顺着它们的所好而已。

这些争辩不休的学者,就像争着"朝三暮四"还是"朝四暮三"的猴子一样,其实"名"和"实"并没有因争论而改变,大家只是各持主见来作为认识的标准而已。因此在庄子看来,这些争辩,胜者未必就是对的,败者亦未必就是错的。这样的争辩从何判定是非呢？所以他说：

> 假使我和你辩论，你胜了我，我没有胜你，你果然对吗？我果然错吗？我胜了你，你没有胜我，我果然对吗？你果然错吗？是我们两人有一人对一人错呢？还是我们两人都对或者都错呢？我和你都不知道。凡人都有偏见，我们请谁来评判是非？假使请意见和你相同的人来评判，他已经和你相同了，怎么能够评判呢？假使请意见和你我都不同的人来评判，他已经跟你和我相异了，怎么能够评判呢？假使请意见和你我都相同的人评判，他已经跟你和我相同了，怎么能评判呢？那么，我和你及其他的人都不能评定谁是谁非了。(《齐物论》)

这是中国学术史上一段很精彩的"辩无胜"的说辞。任何人谈问题时都不免掺有主观的意见，主观的意见都不能作为客观的真理。当时学术界这种情形，庄子看得很透彻，各家都在是是非非的旋涡里争吵不休；而这些是非都是在对待中产生的，都是虚幻的。那么，在这里留下了一个问题：从哪里建立客观的标准呢？

庄子的回答是：在于"道"。

十、不道之道

老子将"道"提升到中国哲学的最高范畴。庄子更以诗人的笔法形容它可以"终古不贰",能够"不生不死",使得后代无数读书人一碰上它,思考就模糊起来,像跌进一片浑沌之中。

否定神造说

"道"是中国文化的特产,一如"上帝"为西洋文化的特产,它们有异曲同工之妙。每当那些思想家遇上任何解决不了的问题时,都一股脑儿往里推。然而"道"和"上帝"这两者在性质上却有很大的分别,"道"没有了"上帝"那种宗教或神话意味。

西洋宗教或神话解释宇宙,是在现象之上去寻找原因。庄子则不然,他以自然界本身来说明世界，他认为自然界的一切变化，都是它自身的原因。所谓"天地固有常矣，日月固有明矣！"（《天道》）这个"固"字，便说明了"本来如此"，而不是外来的因素。在《知北游》中也说道："天不得不高，地不得不广，日月不得不行，万物不得不昌，此其道与！"所谓"不得不"，乃属必然之事，庄子十分强调万物的"自化"，他全然否定有什么神或上帝来支配自然界。

在庄子看来，自然界的各种现象都是"咸其自取"的。《齐物论》内，庄子用长风鼓万窍所发出的各种声音，来说明它们是完全出于自然的："夫吹万不同，而使其自己也，咸其自取，怒者其谁耶？"这是说风吹过万种窍孔发出了各种不同的声音，这些声音之所以千差万别，乃是由于各个孔窍的自然状态所产生，主使它们发声的还有谁呢？这里的"自取"、"自己"不都表明了无须另一个发动者吗？"六合之外，圣人存而不论。"（《齐物论》）这态度岂不更显明吗？在《庄子》一书中，完全没有关于神造宇宙的寓言，也找不出一些祠祀祈祷的仪式或迷信，更没有丝毫由神鬼来掌管死生的说辞。由此可知，有些学者将"道"视如宇宙的"主宰"，或予以神学的解释是不妥的。

"道"具有形而上学的意义，它是天地万物的"总原理"，并且无所不在，超越了时空，又超越了认识。《大宗师》内曾说："道"弥漫于天地间，要说有神吗，神是从它生出来的，天地也是它生出来的。既然说它真实地存在着，却又说它没有形状；既然没有形状，感官便无法把捉得了。这正如《知北游》中所说的："道不可闻，闻而非也；道不可见，见而非也；道不可言，言而非也。"如此，"道"便成为恍惚而无从捉摸之物。虽说老庄的"道"可以解释为万物的根源、法则或动力，然而它是不可靠感觉捉摸，又无法用理智推想的，若是现代逻辑实证论学者看来，这套无法验证的"观念游戏"，只是一堆没有意义的语言而已。这类具有诗意的语言，在哲学史上的意义，乃在于宇宙的起源及其现象，它扬弃了神话的笼罩，而以抽象的思索去解释。庄子的解答虽然不一定正确，但对追寻问题仍是有重大意义的。

这古老的哲学概念，从现代人看来，表现了淳朴社会中的一种朴素思想：企图以一元的答案来解决多元的现象，在今日这繁复而多向性的时代看来，不免显得独断。

狙公的手法

若从认识论的观点来看庄子的道，则有如"狙公的手法"。我们且看看庄子的手法：

首先，庄子指出外界的纷乱骚扰，莫不卷入价值的纠葛中，这都是因成见、短视以及褊狭的主观因素所造成的。于此，庄子指出一切主观的认识，都只能产生相对的价值，而由于价值都是相对的，所以他便进一步否决绝对价值的存在。这里就留着一个重要的问题：如何重建认识标准？如何重整价值根源？

然而，巧妙的是，庄子指出现象界的相对价值是无意义以后，却不立刻处理问题，而是隐遁到另一个范畴——"道"——上，并优游于其间，忘却现象界一切无谓的对峙。在《齐物论》内庄子就说到：各有各的是非，消除是非的互相对立，这就是道的要领了。了解"道"的理论以后，就像抓住了圆环的中心一样，可以应付无穷的变化了。事实上，如何应付"无穷的变化"呢？庄子没有说明，亦没有提供一个固定的方法，以免流于执著。那么，庄子认为用来消除是非对立的"道",仅仅是个空托的概念吗?由于他批评各家所见乃"小成",而未及认识"道"的全貌,可知他的"道"为"整全"的概念。不过,他亦只是以概念上的"整全"来批判或否定各家的所成罢了!

美的观照

我们进一步考察,可以看出庄子将老子所提出的"道",由本体的系统转化而为价值的原理,而后落实到生活的层面上,以显示出它所表现的高超的精神。

首先,我们应知道庄子的"道",并非陈述事理的语言,乃是表达心灵境界的语言。由这语言的性质,我们可进一步地了解,他的"道"若从文学或美学的观点去体认,则更能捕捉到它的真义。庄子说过:道是"有情有信","可传而不可受,可得而不可见"的。"情"、"信"、"传"、"得"乃属感受之内的事,感受是一种情意的活动,而这情意的活动,为庄子提升到一种美的观照的领域。

从某个角度看来,庄子的道并非玄之又玄而不可理喻的。庄子虽然有形而上学的冲动,但远比老子要淡漠，并且处处为下界留余地。如果将"道"落实到真实世界时，它便是表现在生活上的一种高超技术。如"庖丁解牛"，庖丁动作的干脆利落，文惠君见了也不禁脱口赞叹："嘻！善哉！技盖至此乎？"庖丁回答说："臣之所好者道也，进乎技矣！"宰牛原是一件极费力而吃重的工作，常人做来不免咬牙切齿，声色俱厉，可是技术已登峰造极，达到道的境界的庖丁，执刀在手却神采奕然，每一动作莫不合乎音乐的节拍，看来如入画中。

这样神乎其技的事例很多，如《达生》篇中的一则：

> 仲尼适楚，出于林中，见痀偻承蜩，犹掇之也。
>
> 仲尼曰："子巧乎！有道邪？"
>
> 曰："我有道也。五六月累丸二而不坠，则失者锱铢；累三而不坠，则失者十一；累五而不坠，犹掇之也。吾处身也，若厥株拘；吾执臂也，若槁木之枝；虽天地之大，万物之多，而唯蜩翼之知。吾不反不侧，不以万物易蜩之翼，何为而不得！"

孔子顾谓弟子曰:"用志不分,乃凝于神,其痀偻丈人之谓乎!"

在《知北游》上,又出现同一性质的故事:

大马之捶钩者,年八十矣,而不失豪芒。大马曰:"子巧与?有道与?"

曰:"臣有守也。臣之年二十而好捶钩,于物无视也,非钩无察也。是用之者,假不用者也,以长得其用,而况乎无不用者乎!物孰不资焉!"

上面这些故事,无非说明当技术臻于圆熟洗练的程度,内心达到聚精会神的境地时,就是庄子所说的"道"了。

由此可知,道非一蹴而就,亦非可以骤然肯定的,而是透过经验或体验的历程所达到的一种境界。

道既非高不可攀,当然可由学而致。于是庄子告诉我们,道是有方法可循的,得道的方法便是《齐物论》内所说的"隐机"、《人间世》所说的"心斋"和《大宗师》所说的"坐忘"。所谓"隐机"、"心斋"、"坐忘"等功夫,虽然说得玄妙了一些,常人不易体会,但是想来也不外是着重内在心境的凝聚蓄养。

上面两则神技的故事,说明一个技巧圆熟、精练的人,内心必然已达到"用志不分"的"凝神"境地,而且胸有成竹、悠然自在。表现在行动上,就显得无比的优美,举手投足之间,莫不构成一幅美妙的画面。如此,要呈现庄子"道"的境界,便是艺术形象的表现了。

再从另一个角度来看,也可见出庄子的"道",乃是对普遍万物所呈现着的一种美的观照。这在著名的"东郭子问道"上显现出来。

东郭子问于庄子曰:"所谓道,恶乎在?"

庄子曰:"无所不在。"

东郭子曰:"期而后可?"

庄子曰:"在蝼蚁。"

曰:"何其下邪?"

曰:"在稊稗。"

曰:"何其愈下邪?"

曰:"在瓦甓。"

曰:"何其愈甚邪?"

曰:"在屎溺。"

东郭子不应。……（《知北游》）

被人视为神圣无比的道，竟然充斥于屎溺之间，无怪乎东郭子气得连半句话也不回。事实上，我们应了解庄子乃是站在宇宙美的立场来观看万物——从动物、植物、矿物而至于废物，即连常人视为多么卑陋的东西，庄子却都能予以美化而灌注以无限的生机。

由这里，我们进一步发现庄子的精神便是道遍及万物：不自我封闭，也不自我人类中心，这种遍及万物的精神，正是高度的人"道"主义的表现，也是"同一"精神的发挥。

十一、对待与同一

庄子"同一"的观念,乃是由"对待"的观念所引发的。所以在谈同一的观念以前,先介绍庄子对待的看法。

庄子发现世俗世界中,无论是非、大小、贫富、穷达等等观念,都是在特定时空下的相对差别,这些相对的差别只有相对的价值。在《齐物论》中,庄子便有所说明。例如他说是非完全是相对的:

> 世界上的事物,没有不因对待而形成的,有"彼"就有"此",有"此"就有"彼"。从"那方面"(彼)去看,就看不到"这方面"(此),反身自比,就能了解清楚。"彼"是出于"此","此"是出于"彼","彼"和"此"是相对而生的;任何东西有"起"就相对而有"灭",有

"灭"就相对而有"起";有"可"就同时相对产生"不可",有"不可"同时就相对产生"可"。于是有因而认为是的,就有因而认为非的;有因而认为非的,就又有因而认为是的。

在《秋水》篇中,庄子更加详尽地发挥了这观点,认为贵贱、差别、功能、意趣……都不是绝对的,都是变幻无常的。

从万物本身来看,万物都自以为贵而互相贱视;从流俗来看,贵贱都由外来而不在自己。从等差上来看,顺着万物大的一面而认为它是大的,那就没有一物不是大的了;顺着万物小的一面而认为它是小的,那就没有一物不是小的了;明白了天地如同一粒小米的道理。明白了毫毛如同一座丘山的道理,就可以看出万物等差的数量了。从功用上来看,顺着万物有的一面而认为它是有的,那就没有一物不是有的了;顺着万物所没有的一面而认为它是没有的,那就没有一物不是没有的了;知道东方和西方的互相对立而不可以缺少任何一个方向,那么就可以确定万物的功用和分量了。从趣向看来，顺着万物对的一面而认为它是对的，那就没有一物不是对的了；顺着万物错的一面而认为它是错的，那就没有一物不是错的了；知道了尧和桀的自以为是而互相菲薄，那么就可以看出万物的趣向和操守了。

从前尧和舜因禅让而成为帝，燕王哙和燕相子之却因禅让而绝灭；商汤和周武因争夺而成为王，白公胜却因争夺而灭绝。由这样看来，争夺和禅让的体制，唐尧和夏桀的行为，哪一种可贵可贱是有时间性的，不可以视为固定不变的道理。

栋梁可以用来冲城，但不可以用来塞小洞，这是说器用的不同；骐骥骅骝等好马，一天能跑一千里，但是捉老鼠还不如狸猫，这是说技术的不同；猫头鹰在夜里能捉跳蚤，明察秋毫，但是大白天瞪着眼睛看不见丘山，这是说性能的不同。常常有人说："何不只取法对的而抛弃错的，取法治理的而抛弃变乱的呢？"这是不明白天地的道理和万物的实情的说法。就像只取法于天而不取法于地，取法于阴而不取法于阳，很明显是行不通的。然而人们还把这种话说个不停，那不是愚蠢便是故意瞎说了。

帝王的禅让彼此不同，三代的继承各有差别。不投合时代，违逆世俗的，就被称为篡夺的人；投合时代，顺应世俗的，就被称为高义的人。

在庄子看来，现象界里的东西都是随着不同的时间、环境，以及主观的认识而产生不同的价值判断。因而，世俗世界中的种种价值都是偶然的、无意义的。在这一点上，现象世界的痛处可说被庄子牢牢地抓住了。

这种相对思想推演到最后，就认为一切事物之间的分别是不必要的。于是，庄子由数量差别的观点，进入万有性质齐同的观点。所谓："天地与我并生，万物与我为一。"

这多少有点诡辩的成分，加上文学的想象力和艺术精神的点化，因而庄子产生了"同一"（identification）思想。这同一的思想隐含着几个重要的意义：

一、破除我执：为了打破唯我独尊的态度，为了消除自私的成见，庄子提出"丧我"这名词。"丧我"并不是要消失自我，而是要去掉个人的执著，并以同情的态度认识他人与他物；这意味着：一方面站在他人与他物的立场以照见自己的褊狭，另一方面需自我觉悟与内省，再进一步去除自我的偏执。如是才能"道通为'一'，莫若以'明'"。"明"为无所偏执去观察，"一"即圆融和谐的境界。

二、以无所偏的心境与同情的态度来观看事物，才不至于偏私固蔽而以自我为中心。

> 人睡在潮湿的地方，就会患腰痛或半身不遂，泥鳅也会这样吗？人爬上高树就会惊惧不安，猿猴也会这样吗？这三种动物到底谁的生活习惯才合标准呢？人吃肉类，麋鹿吃草，蜈蚣喜欢吃小蛇，猫头鹰和乌鸦却喜欢吃老鼠，这四种动物，到底谁的口味才合标准呢？猵狙和雌猴作配偶，麋和鹿交合，泥鳅和鱼相交。毛嫱和丽姬是世人认为最美的；但是鱼见了就要深深地钻进水底，鸟见了就要飞入高空，麋鹿见了就要奔走不顾；这四种动物究竟哪一种美色才算最高标准呢！（《齐物论》）

不同类虽然不能相比较，可是这里却表明了庄子的"民胞物与"精神。儒家虽亦有这种心怀,然其着眼点仍以人事为主,不如庄子之开豁,能放眼于更广大的世界。"天无私覆,地无私载"_{《大宗师》},在天地之间,也显示众生平等。

三、人间世的价值,俱在对待的关系之中,庄子则超越了人间世的对待,而不受其束缚。且将对待关系的封闭系统化而为无穷系统,这便是庄子的特殊精神。惠子的"泛爱万物,天地一体也","其大无外谓之大一,其小无内谓之小一"之说和庄子的说法相契,然而惠子着重数量观点,而庄子则就万有性质观点以成就其无穷系统。

四、庄子的"同一"世界,实为艺术精神所笼罩。庄子透过艺术的心灵,将自我的情意投射于外在世界,以与外物相互交感,产生和谐的同情。

由于同情和谐的心境,所以自我生命以破藩决篱之势投射出去时,虽笼罩万物其他生命,然而此精神并不为天下宰,而予天下万物以充分不羁的精神自由。

终结篇

庄子思想的评价

在一个动荡喧嚣的环境中,庄子的思想映射出一片宁静的光辉。

在那乱哄哄的时代里,人民都处于倒悬状态,庄子极欲解除人心的困惫,可是,现实的无望却使他无法实现心愿。由于他既无法使人类在现实世界中安顿自我,又不愿像神学家们在逃遁的精神情状中求自我麻醉,在这种情形下,唯一的路,便是回归于内在的生活——向内在的人格世界开拓其新境界。庄子所拓展的内在人格世界,乃艺术性及非道德性的("人格"一词不含伦理判断或道德价值)。因而在他的世界中,没有禁忌,没有禁地;他扬弃一切传统的形式化,遗弃一切信仰的执迷。

在现实生活中,无一不是互相牵制、互相搅扰的,庄子则试图化除现实生活上种种牵制搅扰,以求获得身心的极大自由。化除的方法之一,即是要虚静其心——通过高度的反省过程,达到心灵虚静,能掌握自身的变化,并洞悉外在的变动,而不拘执于某一特殊的机遇或固定的目的。因为外在世界是"无动而不变,无时而不移"的,同时人类本身也受情意的驱使而在万物变化之流中奔走追逐,不能中止,直至形体耗损殆尽,仍属空无所持,这真是人生莫大的悲哀。

　　面对这样可悲的现象,庄子乃转而对内作一番自觉的工作,在自觉过程中,了悟感觉世界的幻灭无常,于是认定驰心于外物,对于人类的精神实是莫大的困扰。由是导出庄子哲学之轻视物欲的奔逐,而倾向精神的自由,并求个人心灵的安宁。

　　庄子对于现象界有深刻尖锐的洞察力。他是个绝顶聪明的人,把一切都看得太透彻了。如茫茫人海,各人也浑浑噩噩像乌龟似的爬来爬去,忙忙碌碌像耗子似的东奔西窜,然而每个人都不知道自己忙了些什么,为得着什么。一旦省悟时,便会觉得自己所作所为是如此的莫名其妙……看开了,一切都不过如此罢了,于是你就会不屑于任何事物,任何行动。然而这样的社群会产生怎样的结果呢?如果每个人都像庄子笔下的南郭子綦"隐机而坐",进入到"答焉似丧其耦"的境况,那么个人和社会岂不近于静止?因而,庄子哲学如何处理及适应这情况,便成为一个严重的问题了。尤其是今日的世界——已被纳入了一个庞大的动力系统中,缓步或停足都有被抛弃的危险。

然而,我们必须了解庄子绝非不食人间烟火的道行者,也非逃离现实生命的乌托邦理想人。他的见解是基于人类无止境的餍欲与物化的倾向所引发出来的;同时,鉴于个人的独存性已消失与被吞噬,遂于洞察人类的处境中安排自我的适性生活。没有这种感受的人,自然无法体会庄子。因而庄子哲学对于读者来说,能感受多少,他的可接受性就有多少;他的看法是无法得到大众一致公认的,同样的一句话,有人会视如智慧之言,有人会以为是无稽之谈。事实上,庄子的哲学不是写给群众看的,庄子的说话也不是说给群众听的,他的声音有如来自高山空谷。

读庄子书确有登泰山而小天下的感觉。在他眼底里,凡夫俗子就如一窝吱吱喳喳、跳跳跃跃的小麻雀,官僚是一群猪猡,文人学士则有如争吵不休的猴子。看他书中大鹏小鸟的比喻、河伯海若的对话,以及井底蛤蟆的设喻,你会觉得他简直是千古一傲人。在人类历史的时空中，孤鸿远影，"独与天地精神往来"。

从庄子哲学的恢弘气象看来，也确是"前无古人，后无来者"的。他的思想角度，从不拘限于枝枝节节，秋毫之末；但他并不抹杀精细的分析，否则就犯了《秋水》篇中所说的"自大视细者不明"的毛病。他往往从整体处观察事理，从各个角度作面面的透视。

从庄子哲学的对境来说，恢弘的气象乃表现于不以人类为中心（不拘限于人类），不以自我为中心（不拘限于自我），而能推及于广大的自然界。庄子思想的最高境界是"天地与我并生，万物与我为一"，这方面表现出民胞物与的胸怀，另一方面又呈现着艺术精神的和谐观照。很显然，庄子取消了天地万物和我——客观和主体——的对立关系。这种主客一体的宇宙观，实为中国哲学的一大特点，和西方哲学主客对立的宇宙观，迥然不同。庄子不仅要打破主客对峙的局面，进而达到二而合一的境界，他还要进一步达致物我（主客）两忘境界。在这里，庄子充分表现出大艺术家的精神。

主客合一的宇宙观，只是对自然作某种程度的观赏，而缺乏开发自然界的精神。中国在科学知识与科学技术方面的贫乏，这种宇宙观实有重大的影响；正如中国民族在文学艺术上的辉煌成就，也是受这种宇宙观的重大影响。

现在把上述两种宇宙观，缩限于人和自然及其关系上来讨论。我们先剖解主客对立的宇宙观，借此可反衬出另一观念之特点。

在西方，人在开拓自然的过程中，已有惊人的成就，这是值得骄傲的，也无须赘言。然而若从另一个观点来看人和自然的关系，西方则呈现着深沉的危险，尤其是人如何在自然界中安排其地位问题。

西方传统哲学大抵为二元的倾向——物我完全对立，自然与人事对峙，亦即划分客体与主体。然而由于西洋哲学重视客体，往往习惯将人类客体化，结果常使人埋藏于物界而丧失其自然的地位（如希腊宇宙论时期哲学）；同时也有人急急于求永恒客观的存在，把自然界看成一个变动流逝的感觉界而加以鄙弃（如柏拉图）；中世纪则更视自然人为罪人，自然界为罪恶之区，而将价值停滞于高远缥缈处。

及于近代，西方经验科学的长足发展产生如下的特殊现象：一、把人类压缩成物理平面（如物质科学);二、把人类列入"动物级数"(如达尔文),或从"鼠"辈的试验解剖中来衡量人类的行为(如行为派心理学);三、天文学家将亚里士多德至中世纪的有限宇宙开展而为无穷宇宙,人面临这无穷的新世界,有如沧海一粟,渺小的人类固然可借知性作用在宇宙中安排自处,但人类的苦闷不安,则于其畏怯与自大的交织下表露无遗。

盖以有限的自我处于无穷的宇宙中,终究不能掩饰其飘摇无定的悲哀。对外则不知何以自处于宇宙中,对内则沦于自我迷失之境况——心理学家告诉人:人的意识生命是隐藏着的潜意识冲动表现。自我常会显得分裂不统一,人对自身是个谜,并且发现自己没有最后的依靠。他被描述为"疏离的人",或处于疏离的状态。这种状态,使人成为陌生人——对自己感到陌生,对宇宙也感到陌生,陌生的自我无法在陌生的宇宙中寻觅其存在的根由。

总之,西方哲学的宇宙观始终是在一种不协调或割离的情状中影响于人生观。同时,传统西洋哲学家几乎都在全心全意建造大体系,把所有个体融入抽象的全体之中,因而个体的特殊性便被抽象的全体消解和吞噬。反观庄子,他一方面肯定大自然的完美性,不如西方哲学总想逃离这一自然界，而构幻另一虚无缥缈的超自然；同时，庄子也肯定人类的尊严性，而西方哲学却以人性为微末。在庄子看来，广大的自然皆为生命游行的境域，人类处于自然中，其渺小程度虽如"毫末之在于马体"（《秋水》），然其思想光芒则可流布于苍穹。

20世纪的科学知识，将使人类愈为抽离；20世纪的科学技术，将使人类更为机械化，它们忽略了人的内在生命。在今日急速的动力生活中，人心惶然不安，精神病患者日增，可以为证。

对于这疯狂的时代，庄子哲学也许有一份清醒的作用，作为调整人心的清凉剂。